A GRANDE IMAGERIE

LA FRANCE

Conception
Jaques Beaumont

Texte
Philippe SIMON

FLEURUS

FLEURUS ÉDITIONS, 15-27, rue Moussorgski, 75018 PARIS
www.fleuruseditions.com

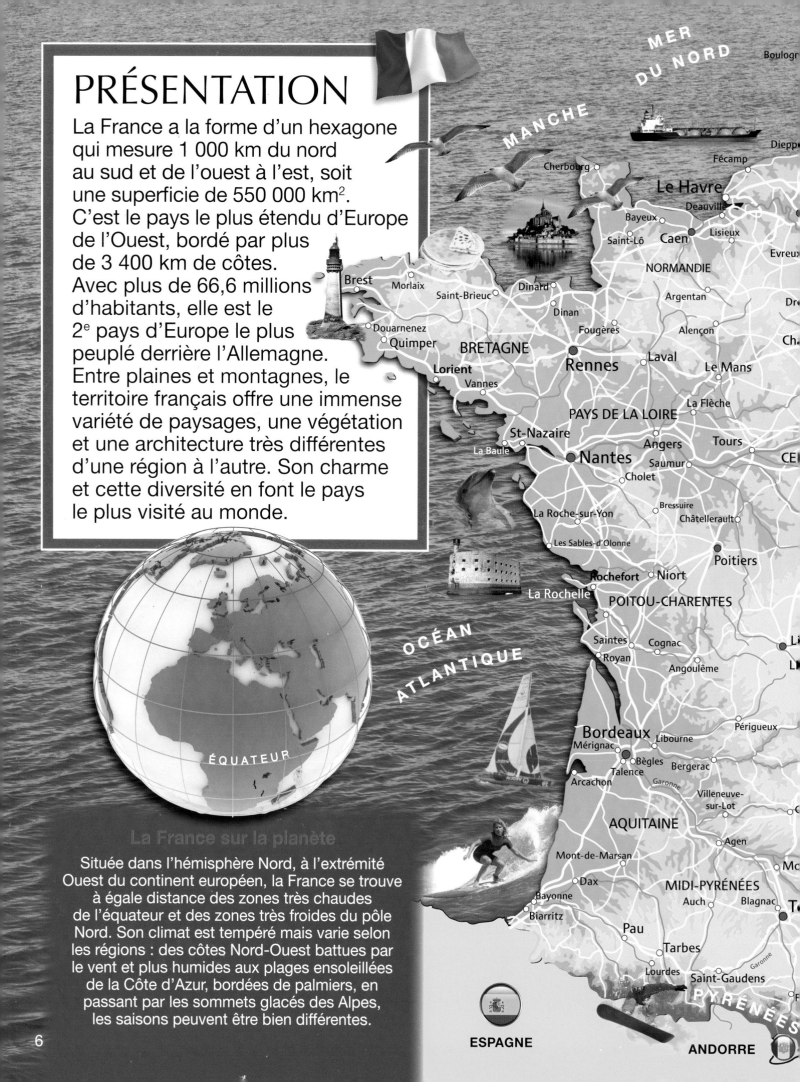

PRÉSENTATION

La France a la forme d'un hexagone qui mesure 1 000 km du nord au sud et de l'ouest à l'est, soit une superficie de 550 000 km². C'est le pays le plus étendu d'Europe de l'Ouest, bordé par plus de 3 400 km de côtes. Avec plus de 66,6 millions d'habitants, elle est le 2ᵉ pays d'Europe le plus peuplé derrière l'Allemagne. Entre plaines et montagnes, le territoire français offre une immense variété de paysages, une végétation et une architecture très différentes d'une région à l'autre. Son charme et cette diversité en font le pays le plus visité au monde.

La France sur la planète

Située dans l'hémisphère Nord, à l'extrémité Ouest du continent européen, la France se trouve à égale distance des zones très chaudes de l'équateur et des zones très froides du pôle Nord. Son climat est tempéré mais varie selon les régions : des côtes Nord-Ouest battues par le vent et plus humides aux plages ensoleillées de la Côte d'Azur, bordées de palmiers, en passant par les sommets glacés des Alpes, les saisons peuvent être bien différentes.

ÉQUATEUR

MER DU NORD

MANCHE

OCÉAN ATLANTIQUE

PYRÉNÉES

Boulogr

Dieppe

Fécamp

Cherbourg

Le Havre

Deauville

Bayeux

Saint-Lô   Caen   Lisieux

Evreux

NORMANDIE

Argentan

Dr

Brest

Morlaix

Saint-Brieuc   Dinard

Dinan

Alençon   Ch

Douarnenez

Quimper   BRETAGNE   Fougères

Laval

Rennes

Le Mans

Lorient

Vannes

La Flèche

PAYS DE LA LOIRE

St-Nazaire

Angers   Tours

La Baule   Saumur   CE

Nantes

Cholet

Bressuire

La Roche-sur-Yon   Châtellerault

Les Sables-d'Olonne

Poitiers

Rochefort   Niort

La Rochelle   POITOU-CHARENTES

Saintes   Cognac   Li

Royan   L

Angoulême

Périgueux

Bordeaux   Libourne

Mérignac

Bègles   Bergerac

Talence

Arcachon   Garonne

Villeneuve-sur-Lot

AQUITAINE

Agen

Mont-de-Marsan

Dax   MIDI-PYRÉNÉES

Bayonne   Auch   Blagnac

Biarritz   T

Pau

Tarbes

Garonne

Lourdes   Saint-Gaudens

ESPAGNE   ANDORRE

Les principaux reliefs

Les Alpes constituent une frontière naturelle avec l'Italie et la Suisse. Point culminant : mont Blanc, 4 810 m.

Les Pyrénées séparent la France de l'Espagne. Point culminant : pic d'Aneto, en Espagne, 3 404 m.

Le Massif central Point culminant : puy de Sancy, 1 886 m.

Le Jura Point culminant : crêt de la Neige, 1 720 m.

Les Vosges dominent la plaine d'Alsace. Point culminant : Grand Ballon, 1 424 m.

De grands fleuves

Le territoire est traversé par quatre grands fleuves :

- **La Loire** (1 012 km) prend sa source au mont Gerbier-de-Jonc, au sud-est du Massif central, et se jette dans l'océan Atlantique.

- **La Seine** (776 km) coule depuis le plateau de Langres, en Côte-d'Or, et se jette dans la Manche.

- **Le Rhône** (812 km, dont 522 en France) vient des Alpes suisses, traverse le lac Léman et rejoint la mer Méditerranée.

- **La Garonne** (523 km) coule depuis le val d'Aran, dans les Pyrénées espagnoles, rejoint l'estuaire de la Gironde et se jette dans l'océan Atlantique.

Les voisins de la France

La France est riveraine de la **Belgique**, du **Luxembourg**, de l'**Allemagne**, de la **Suisse**, de l'**Italie**, de **Monaco**, de l'**Espagne** et d'**Andorre**. Au total, elle compte 2 888 km de frontières terrestres.

L'ARCHITECTURE

Lorsqu'on voyage en France, il est étonnant de voir à quel point l'architecture change d'une région à l'autre. Toits de tuiles plates, rondes ou d'ardoises, murs de pierres blanches, grises ou de briques rouges... peuvent indiquer l'endroit où l'on se trouve. Ces différences proviennent souvent des matériaux disponibles autrefois sur place : pierre de granit en Bretagne, briques de terre cuite dans le Nord, bois en montagne… Le style des maisons est aussi lié au climat : toitures en pente douce là où le vent souffle fort ; toits pentus là où la neige tombe en abondance…

1 La chaumière normande

Ses murs sont en torchis (un mélange de paille et d'argile) soutenu par une armature en bois, le colombage. Le toit peut être de chaume, une sorte de roseau qui pousse dans les marais et au bord des rivières. D'où le nom de « chaumière

2 L'immeuble haussmannien

Typiquement parisien, il fut imaginé par le baron Haussmann, un architecte qui redessina Paris au XIXe siècle.

3 La maison bretonne

Pour la plupart construites en pierre de granit, certaines maisons bretonnes ont un toit recouvert de chaume ou de grandes pierres plates. Les fenêtres et les volets sont généralement peints aux couleurs de l'océan.

4 Les demeures du Val de Loire

Certaines des maisons anciennes de la vallée de la Loire se reconnaissent à leurs façades de pierre tendre et blanche appelée tuffeau. Leurs toits sont en ardoise, une roche qui se détache en fines tranches.

5 La maison vendéenne

Généralement basse à cause du vent, sa toiture est recouverte de tuiles rondes. Pour protéger les murs de l'humidité, on les enduit de chaux, une pierre calcaire diluée dans l'eau, qui leur donne cette couleur blanche.

6 Des maisons du Sud-Ouest

Dans le Sud-Ouest, les bastides sont d'anciens villages bâtis autour d'une place bordée de constructions dont le rez-de-chaussée était consacré à un commerce ou un atelier d'artisan. Colombages et briques se marient parfois sur leurs façades.

7 Les constructions d'Auvergne

La pierre volcanique de la région a été employée pour construire les fermes et les maisons d'Auvergne. C'est pourquoi leurs murs sont de couleur grise. De larges dalles de roche également grise couvrent leurs toits : les lauzes.

8 La maison basque

La maison basque est reconnaissable à ses volets et colombages de couleur rouge-brun et à son toit aux pentes asymétriques. Le balcon du premier étage servait autrefois à faire sécher le maïs.

Les corons du Nord

9 Les corons sont des quartiers construits autrefois pour les ouvriers des mines. Les maisons de briques rouges, alignées de chaque côté de la rue, se ressemblent beaucoup.

La maison alsacienne

10 Le toit de cette grande habitation est assez pentu pour que la neige, fréquente en hiver, glisse et ne s'accumule pas. Ses murs à colombages et aux couleurs vives servaient à repérer les métiers : rouge pour les chaudronniers, jaune pour les boulangers, vert pour les tailleurs de tissu...

La ferme de Bresse

11 Ces fermes du Moyen Âge sont désormais sauvegardées. Elles étaient faites à partir du bois et de la brique de la région. On accédait à l'étage par un escalier extérieur. Leur cheminée typique est surmontée d'une sorte de petit clocher pour empêcher la pluie d'entrer dans la maison.

Le chalet savoyard

12 Beaucoup de chalets sont tout en bois de sapins provenant des forêts de montagne. Ils abritaient autrefois la famille, les animaux, et, dans le grenier, le foin pour l'hiver. Leurs toits pentus ont de larges débords sous lesquels on stocke encore le bois de chauffe et du petit matériel.

La bergerie corse

13 Dans le maquis de la montagne corse, sous un climat sec et chaud, les bergers ont construit des abris de pierre servant de refuge. Certains ont été aménagés en logements touristiques.

Le mas

14 En Provence, le mas désignait une ferme. Son toit est presque plat, couvert de tuiles rondes. Grâce à ses petites ouvertures, le mas reste frais l'été.

9

LES PAYSAGES

La France a cette particularité d'offrir des paysages extrêmement variés : de grandes plaines nues, des vallons boisés, des plateaux déserts et secs comme les causses, de hautes montagnes telles que les Alpes et les Pyrénées, des montagnes moyennes comme les Vosges, et même des volcans aujourd'hui éteints ! Le littoral lui aussi varie : falaises de craie au nord, côtes de granit découpées en Bretagne, calanques sur la côte méditerranéenne… La richesse de tous ces paysages différents provient de la très longue histoire géologique du continent.

 Les vastes plages du Nord

D'immenses plages de sable bordent le Nord-Pas-de-Calais. Deux hautes falaises entrecoupent cette côte : le cap Blanc-Nez (132 m) et le cap Gris-Nez (50 m), point de France le plus proche de l'Angleterre.

 Le bocage

En Normandie, les éleveurs ont délimité leurs champs par des haies plantées d'arbres et d'arbustes : c'est le bocage.

La Côte de Granit rose

Le bocage

 La côte bretonne

Côte de granit découpée, ponctuée d'îles, dessinée de golfes… le littoral breton offre de superbes paysages tels que la Côte de Granit rose, au nord de la péninsule.

 Le marais poitevin

Cet étonnant marais qu'on sillonne en barque est constitué d'un réseau de kilomètres de canaux qui ont été creusés entre le XIIIᵉ et le XVIᵉ siècle pour assécher des prairies.

 La chaîne des Puy

Le Massif central, le plus vaste massif montagneux de France, compte 80 volcans qui forment la chaîne des Puys. On dit qu'ils sont « éteints », car il n'ont pas connu d'éruption depuis 7 000 ans. En partant de Clermont-Ferrand, on peut découvrir leurs dômes-cratères.

 La Vallée de la Loire

D'Orléans jusqu'à son embouchure dans l'océan Atlantique, la Loire traverse une région au climat doux, favorable aux cultures. La piste cyclable qui longe le fleuve permet d'admirer ses bancs de sable et ses petites îles où nichent les oiseaux.

 Le bassin d'Arcachon

Cette petite « mer intérieure », au sud-ouest de Bordeaux, est bordée par la forêt de pins des Landes. De nombreux oiseaux migrateurs y font halte. En particulier sur l'île aux Oiseaux, un large banc de sable où se trouvent les insolites cabanes tchanquées, construites sur pilotis.

 Les Pyrénées

Des lacs d'altitude, des pics aux pentes abruptes, des cirques aux parois vertigineuses (voir celui de Gavarnie, p. 12), des cols très hauts comme le Tourmalet (2 115 m) pour passer d'une vallée à l'autre... Les Pyrénées, vieilles de 20 à 30 millions d'années, s'étendent sur 430 km.

 Les causses

Au sud du Massif central et au nord de Montpellier, les causses sont de vastes plateaux calcaires, sauvages et désertiques, tels le causse Méjean, le causse du Larzac...

Cabanes tchanquées dans le bassin d'Arcachon

Le pic du Midi d'Ossau

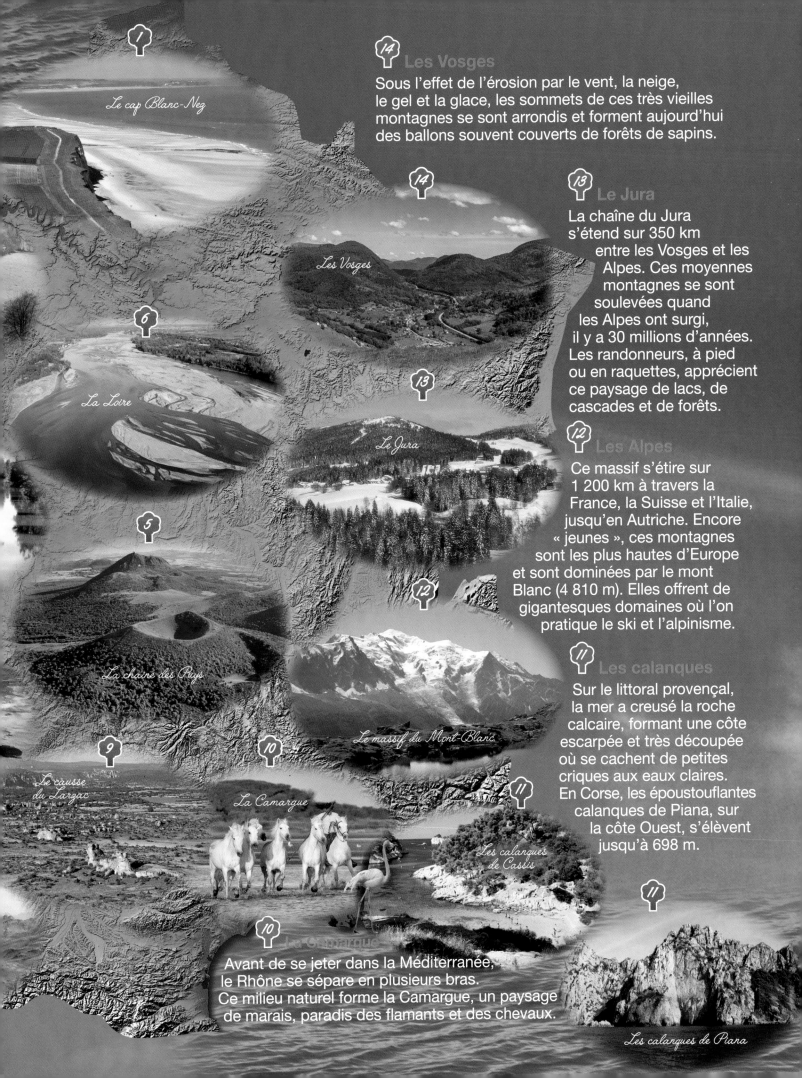

Le cap Blanc-Nez

Les Vosges

Sous l'effet de l'érosion par le vent, la neige, le gel et la glace, les sommets de ces très vieilles montagnes se sont arrondis et forment aujourd'hui des ballons souvent couverts de forêts de sapins.

Les Vosges

Le Jura

La chaîne du Jura s'étend sur 350 km entre les Vosges et les Alpes. Ces moyennes montagnes se sont soulevées quand les Alpes ont surgi, il y a 30 millions d'années. Les randonneurs, à pied ou en raquettes, apprécient ce paysage de lacs, de cascades et de forêts.

La Loire

Le Jura

Les Alpes

Ce massif s'étire sur 1 200 km à travers la France, la Suisse et l'Italie, jusqu'en Autriche. Encore « jeunes », ces montagnes sont les plus hautes d'Europe et sont dominées par le mont Blanc (4 810 m). Elles offrent de gigantesques domaines où l'on pratique le ski et l'alpinisme.

La chaîne des Puys

Les calanques

Sur le littoral provençal, la mer a creusé la roche calcaire, formant une côte escarpée et très découpée où se cachent de petites criques aux eaux claires. En Corse, les époustouflantes calanques de Piana, sur la côte Ouest, s'élèvent jusqu'à 698 m.

Le massif du Mont-Blanc

Le causse du Larzac

La Camargue

Les calanques de Cassis

Avant de se jeter dans la Méditerranée, le Rhône se sépare en plusieurs bras. Ce milieu naturel forme la Camargue, un paysage de marais, paradis des flamants et des chevaux.

Les calanques de Piana

LES SITES NATURELS

Grâce à son passé géologique et aux différentes roches qui constituent son sol, la France présente de multiples curiosités naturelles, toutes plus extraordinaires les unes que les autres : grottes, gouffres, forêts, dunes de sable, falaises, cascades, gorges, glaciers, cirques… Toutes ces splendeurs ont été façonnées durant des millions d'années par le vent, la pluie, la neige, le gel, les rivières, la force des vagues, les éruptions volcaniques, les soulèvements montagneux. Une vraie chance pour les curieux d'aujourd'hui !

1 La réserve de la baie de Somme

Plus de 300 espèces d'oiseaux migrateurs s'arrêtent dans l'estuaire de la Somme. Cette très belle étendue côtière de marais et de sable accueille aussi la plus importante colonie de phoques en France.

2 Les falaises d'Étretat

À Étretat, l'action de la mer, d'une rivière côtière et du vent a sculpté la falaise de craie, sa célèbre arche et son aiguille. Du chemin qui longe la côte, le panorama est magnifique.

3 La pointe du Raz

Tout à l'ouest de la Bretagne, la pointe du Raz s'élève à 70 m au-dessus de la mer. C'est un endroit majestueux où les tempêtes de l'océan projettent les vagues sur la falaise de granit.

4 Les grottes de Meschers

Au sud de Royan, ces falaises calcaires de 30 m de hauteur, qui surplombent l'estuaire de la Gironde, abritent de surprenantes grottes naturelles dans lesquelles les hommes ont aménagé au XIXe siècle des habitations que l'on peut visiter.

5 La dune du Pyla

Haute de 110 m, c'est la plus grande dune de sable d'Europe. Elle domine l'entrée du bassin d'Arcachon (voir page précédente). Avec un peu d'efforts, on parvient au sommet, qui offre une vue fabuleuse sur le bassin.

6 Le cirque de Gavarnie

Au cœur des Pyrénées, ce grandiose demi-cercle de montagnes qui s'élève jusqu'à 3 000 m crée une barrière infranchissable. Des glaciers du sommet dévalent plusieurs chutes d'eau, dont la Grande Cascade, la plus haute de France, qui tombe de 422 m !

7 Le gouffre de Padirac

À Padirac, dans le Lot, un trou vertigineux de 103 m de profondeur s'ouvre sur une rivière souterraine. On visite en barque les différentes salles ornées de spectaculaires stalactites et stalagmites.

8 Les grottes de l'aven Armand

Elles méritent bien leur nom de « grottes des Mille et Une Nuits ». La salle principale dévoile une forêt de 400 stalagmites, dont la plus longue du monde : 30 m de haut !

9 Les ocres de Roussillon

En Provence, les étonnantes falaises du Luberon présentent une variété infinie d'ocres, du jaune clair au rouge foncé. Ces sables, formés naturellement au fil de millions d'années, ont longtemps servi à fabriquer des peintures.

La forêt de Fontainebleau

Cette forêt du sud de Paris est connue pour ses chaos d'énormes blocs de grès aux formes multiples. C'est un vrai paradis pour l'escalade et les amoureux de la nature !

Les faux de Verzy

Ces faux désignent des hêtres étonnants dont les branches prennent toutes sortes de formes. Unique au monde, cette forêt située près de Reims en compte plus de 1 000 spécimens !

Cascade du Hérisson

Le Hérisson est un ruisseau du Jura qui dévale une pente de 300 m en formant 31 sauts et 7 cascades, dont la plus haute mesure 65 m. Certains hivers, quand ses eaux gèlent, le spectacle est grandiose !

La roche de Solutré

Cette étrange falaise qui surgit du paysage, non loin de Mâcon, culmine à 493 m d'altitude. On atteint l'à-pic vertigineux en escaladant la pente douce du côté Est.

La mer de Glace

De tous les glaciers des Alpes (glacier Blanc, glacier Noir, de la Momie...), celui de la mer de Glace, au-dessus de Chamonix, est le plus grand. S'étendant sur 7 km, d'une épaisseur moyenne de 200 m, sa glace fond pourtant sous l'effet du réchauffement climatique.

Les gorges du Verdon

Depuis des milliers d'années, les eaux du Verdon ont entaillé le plateau calcaire sur une cinquantaine de kilomètres, sculptant des falaises au pied desquelles on peut se baigner ou faire du canoë. Dans ces gorges, la rivière prend de superbes reflets émeraude.

La Corse

Le chemin de grande randonnée GR 20, qui traverse l'île de Beauté, est l'un des plus beaux d'Europe. Il permet de découvrir des sites naturels exceptionnels.

UN PATRIMOINE REMARQUABLE

Depuis la préhistoire, les hommes qui ont vécu sur le territoire ont créé d'extraordinaires chefs-d'œuvre. Les plus anciens ? Les peintures de la grotte Chauvet, en Ardèche, et les alignements de menhirs à Carnac, en Bretagne. Parmi les plus récents ? L'impressionnant viaduc de Millau, érigé en 2004. Des milliers de monuments témoignent ainsi des grandes époques de l'Histoire et de l'audace créatrice des hommes : le pont du Gard édifié au temps du génie romain, les cathédrales bâties au Moyen Âge, le château de Versailles, rêve de Louis XIV...

1 Le château de Versailles

C'est le plus grand palais du monde : il compte 2 300 pièces plus richement décorées les unes que les autres et il est entouré de magnifiques jardins. Construit sous le règne de Louis XIV, à partir de 1664, il fut la demeure des rois de France jusqu'en 1789.

2 Le Mont-Saint-Michel

Le rocher sur lequel se dresse l'abbaye est un lieu de pèlerinage religieux depuis plus de mille ans. À chaque grande marée, c'est un vrai spectacle lorsque la mer l'entoure.

3 Les alignements de Carnac

On ignore pourquoi, il y a 5 500 ans, des hommes ont dressé ces 4 000 menhirs à Carnac, dans le Morbihan, dans le sud de la Bretagne. Les plus hautes pierres atteignent 4 m. Les alignements, longs de plusieurs centaines de mètres, sont uniques au monde.

4 Les châteaux de la Loire

Dans la vallée de la Loire, les rois et de grands seigneurs de la Renaissance firent bâtir de somptueuses résidences. Le château de Chambord, commandé par François Ier en 1519, est le plus grand : 426 pièces ! D'autres sont tout aussi célèbres : Chenonceau, Azay-le-Rideau, Blois... Des millions de touristes français et étrangers les visitent chaque année.

5 Le phare de Cordouan

Parmi les 150 grands phares français, c'est le plus ancien encore en service. Édifié au XVIIe siècle au beau milieu de l'estuaire de la Gironde, il s'élève à 67,50 m. Il est surnommé « le Versailles de la mer » tant il est splendide.

6 Les grottes ornées

En Ardèche, la grotte Chauvet abrite parmi les plus anciennes peintures du monde. Les différents motifs, réalisés il y a plus de 35 000 ans, sont deux fois plus anciens que ceux de Lascaux, en Dordogne.

7 Les châteaux cathares

Montségur, Puilaurens, Peyrepertuse, Quéribus... Les ruines de ces forteresses perchées sont incroyables. Les cathares, pourchassés par les soldats du roi, s'y réfugièrent au XIIIe siècle. Assiégés pendant de longs mois, ils furent contraints de se rendre.

8 Carcassonne

Avec ses deux enceintes de remparts, ses 52 tours, son château, sa basilique et ses habitations, la cité de Carcassonne, entièrement restaurée au XIXe siècle, est un des plus beaux témoignages de l'art du Moyen Âge.

9 Le viaduc de Millau

Ce majestueux pont-autoroute enjambe la vallée du Tarn, à 270 m de hauteur, près de la ville de Millau. Long de 2 460 m, il peut résister à des vents de 200 km/h !

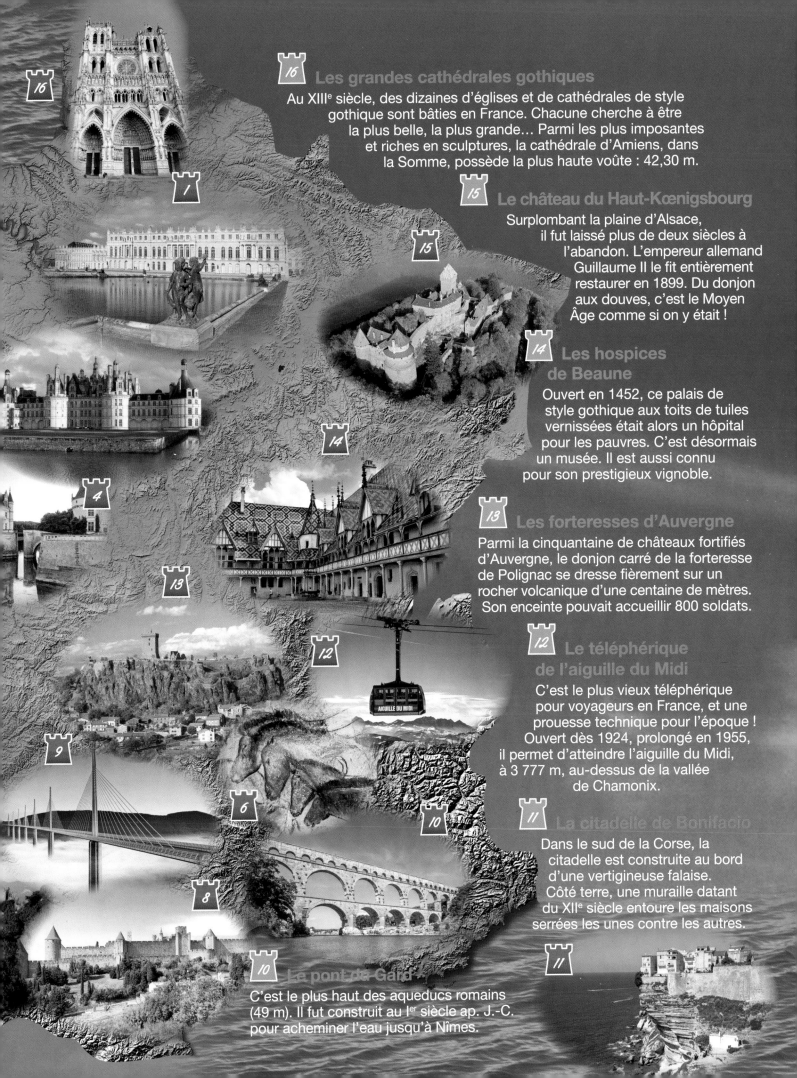

Les grandes cathédrales gothiques

Au XIIIe siècle, des dizaines d'églises et de cathédrales de style gothique sont bâties en France. Chacune cherche à être la plus belle, la plus grande… Parmi les plus imposantes et riches en sculptures, la cathédrale d'Amiens, dans la Somme, possède la plus haute voûte : 42,30 m.

Le château du Haut-Kœnigsbourg

Surplombant la plaine d'Alsace, il fut laissé plus de deux siècles à l'abandon. L'empereur allemand Guillaume II le fit entièrement restaurer en 1899. Du donjon aux douves, c'est le Moyen Âge comme si on y était !

Les hospices de Beaune

Ouvert en 1452, ce palais de style gothique aux toits de tuiles vernissées était alors un hôpital pour les pauvres. C'est désormais un musée. Il est aussi connu pour son prestigieux vignoble.

Les forteresses d'Auvergne

Parmi la cinquantaine de châteaux fortifiés d'Auvergne, le donjon carré de la forteresse de Polignac se dresse fièrement sur un rocher volcanique d'une centaine de mètres. Son enceinte pouvait accueillir 800 soldats.

Le téléphérique de l'aiguille du Midi

C'est le plus vieux téléphérique pour voyageurs en France, et une prouesse technique pour l'époque ! Ouvert dès 1924, prolongé en 1955, il permet d'atteindre l'aiguille du Midi, à 3 777 m, au-dessus de la vallée de Chamonix.

La citadelle de Bonifacio

Dans le sud de la Corse, la citadelle est construite au bord d'une vertigineuse falaise. Côté terre, une muraille datant du XIIe siècle entoure les maisons serrées les unes contre les autres.

Le pont du Gard

C'est le plus haut des aqueducs romains (49 m). Il fut construit au Ier siècle ap. J.-C. pour acheminer l'eau jusqu'à Nîmes.

DES VILLAGES À NE PAS MANQUER !

Si la France a autant de charme, cela est également dû à ces milliers de villages répartis à travers le pays. Ces bourgs, qui ont gardé leur architecture ancienne, sont perchés au sommet de pitons rocheux ou bien encore blottis autour d'un petit port ou d'un château. Ce sont autant de trésors à découvrir au fil des vacances… Leurs vieilles pierres, leurs colombages, leurs ruelles tortueuses ou leurs panoramas exceptionnels font la fierté de leurs habitants, qui prennent soin de les entretenir pour le plus grand plaisir des promeneurs.

La France des plus beaux villages

Souvent signalés dans les guides touristiques, ces villages tirent leur charme de leurs maisons typiques, de leurs rues pavées menant à des monuments remarquables aussi bien qu'à de petites fontaines… Beaucoup d'entre eux doivent aussi leur beauté à leur situation dans des paysages magnifiques. En voici quelques-uns, mais il y en a bien d'autres à découvrir !

1 — Saint-Cirq-Lapopie, Lot
2 — Les Baux-de-Provence, Bouches-du-Rhône
3 — Collonges-la-Rouge, Corrèze
4 — Yvoire, Haute-Savoie
5 — Locronan, Finistère
6 — Vézelay
7 — Beuvron-en-Auge, Calvados
8 — Beynac-et-Cazenac, Dordogne
9 — La Bastide-Clairence, Pyrénées-Atlantiques

12 Piana, Corse-du-Sud

17 Monpazier, Dordogne

22 Saint-Emilion, Gironde

7

13 Perouges, Ain

18 Saint-Veran, Hautes-Alpes

23 Talmont-sur-Gironde, Charente-Maritime

14 Rocamadour, Lot

19 Gerberoy, Oise

24 Belcastel, Aveyron

15 Honfleur, Calvados

20 Castelnou, Pyrénées Orientales

25 Ars-en-Ré, Charente-Maritime

Najac, Aveyron

les, Vaucluse

Riquewihr, Haut-Rhin 16

21 Moustiers-Sainte-Marie, Alpes-de-Haute-Provence

11

LES RESSOURCES

Grâce à la nature de ses sols, à la douceur de son climat et au savoir-faire de ses agriculteurs, la France est la première puissance agricole en Europe et la 8e dans le monde. Sa production permet de nourrir tous les Français, mais aussi d'exporter vers d'autres pays. Autre atout, ses cultures et élevages sont variés : céréales, fruits, plantes industrielles (betterave sucrière, lin), vaches et brebis pour le lait, bœufs, porcs et volailles pour la viande. L'agriculture biologique, plus respectueuse de la nature, se développe peu à peu dans toutes les régions.

Les fruits et légumes

Avec 2,8 millions de tonnes de fruits (pommes, poires, prunes, fraises, melons, bananes...) et 5,5 millions de tonnes de légumes (poireaux, carottes, choux, salades, haricots...), la France est le 3e pays producteur d'Europe. Elle doit toutefois faire venir des fruits et légumes de l'étranger. Le climat chaud du sud de la France permet la culture de l'olive ; celui de la Martinique, la production de banane.

La betterave à sucre

Cette variété de betterave contient de grandes quantités de sucre dans sa racine. On la cultive dans les plaines de l'Ouest, du Nord et de l'Est. À partir de ces racines, les raffineries produisent 33 millions de tonnes de sucre. La France est le 1er producteur mondial de sucre de betterave.

Les grandes cultures de céréales

Avec environ 70 millions de tonnes de blé, maïs, orge, riz... chaque année, la France est le premier pays producteur et le premier exportateur de céréales en Europe. Elles sont souvent cultivées sur de vastes étendues dans les terres très riches du Sud-Ouest, du Poitou, de la Normandie, du Nord, de la Beauce et de la Brie, autour de Paris.

Les vignes

Elles sont présentes partout en France, au sud de la ligne Nantes-Reims. Les vins français sont connus dans le monde entier. Parmi les grands crus très célèbres, les bourgognes (Romanée-Conti, Montrachet), les bordeaux (Pomerol, Saint-Estèphe, Margaux), les beaujolais (Juliénas), les vins d'Alsace (Riesling, Sylvaner), ceux de la vallée de la Loire (Sancerre)... Et surtout, le champagne !

Le bois

Les forêts occupent près d'un tiers du territoire français. Elles fournissent diverses variétés de bois (chêne, pin, peuplier) pour de multiples usages : chauffage, menuiserie, mobilier, pâte à papier…

La pêche

Chaque année, les bateaux français pêchent environ 500 000 tonnes de produits de la mer (thon, merlu, sardine, homard, coquille Saint-Jacques…) et occupent le 4e rang européen. Pourtant, cela ne suffit pas : il faut acheter de grandes quantités de poisson à l'étranger.

Les coquillages

Les ostréiculteurs français élèvent environ 80 000 tonnes d'huîtres sur tout le littoral ; les mytiliculteurs plus de 50 000 tonnes de moules. Ces chiffres hissent la France au 2e rang en Europe derrière l'Espagne.

Des fleurs pour la parfumerie

En Provence, on peut admirer de vastes champs de lavande, de roses, de jasmin… De ces plantes on extrait des huiles et des essences avec lesquelles sont confectionnés les parfums, les savons…

Le sel marin

En Camargue, au bord de la Méditerranée, ou à Guérande et dans les îles de Ré et de Noirmoutier, sur la côte atlantique, on récolte le sel de mer. Entre ce sel marin et les mines de sel souterraines, la France produit plusieurs millions de tonnes de sel. Une petite partie sert à l'alimentation, le reste est réservé à l'industrie et au salage des routes en hiver.

L'élevage

La France possède le plus grand troupeau de bovins (bœufs et vaches) de toute l'Europe. Une bonne partie fournit le lait avec lequel sont fabriqués les produits laitiers. Certaines races (limousine, charolaise…) procurent aussi une viande de grande qualité. En Europe, la France est le 3e producteur de porcs, dont la moitié sont élevés en Bretagne. Plusieurs régions, comme la Sarthe, la Bresse et les Landes, sont réputées pour leurs volailles (poulets, canards).

19

ACTIVITÉS ET INDUSTRIES

Sixième puissance industrielle du monde, troisième en Europe, la France possède des atouts majeurs. Outre son tourisme très dynamique, elle est en tête pour la construction d'avions et de fusées, de gros paquebots de croisière et de trains… Le pays compte aussi parmi le plus grand nombre de start-up, ces jeunes entreprises qui utilisent les technologies du numérique. Les Français se sont également taillé une place de choix dans le domaine du dessin animé et des jeux vidéo, et restent compétitifs dans bien d'autres secteurs.

Constructeurs... de trains

Le TGV français, qui circule dans plusieurs pays du monde, est construit dans l'est de la France, à Belfort, par la société Alstom. Celle-ci produit également des trains automoteurs et des tramways près de La Rochelle.

... de bateaux

Les plus gros paquebots du monde sont construits par les chantiers navals de Saint-Nazaire, dans l'estuaire de la Loire. Le *Harmony of the seas* (ci-contre) peut accueillir plus de 8 500 passagers avec l'équipage !

L'énergie nucléaire

Plus des trois quarts de l'électricité consommée en France sont produits par les réacteurs nucléaires, qui fonctionnent avec un minerai très rare, l'uranium. Le pays compte 58 réacteurs installés dans 19 centrales construites au bord des fleuves (Rhin, Rhône, Loire, Seine) et sur le littoral de la Manche.

Centrale nucléaire, Nogent-sur-Seine.

Laboratoires pharmaceutiques

La fabrication de médicaments est une activité industrielle importante. Environ 100 000 personnes travaillent dans les laboratoires français et étrangers installés en France.

Les pôles de compétitivité

Pour développer les entreprises françaises, l'État a réuni, au sein de pôles régionaux, des chercheurs, ingénieurs, universités… travaillant ensemble dans des domaines spécifique : médecine, agriculture, télécommunications...

Constructeurs... de voitures

Les trois marques françaises : Peugeot, Renault et Citroën ont des usines réparties à travers le territoire. Le constructeur japonais Toyota a de son côté installé une usine dans le Nord. L'ensemble de ces usines construit 1,8 million de voitures chaque année.

... d'avions et même de fusées !

La France assemble plusieurs des avions européens de la gamme Airbus, dont le plus grand, l'Airbus A380, à Toulouse. Elle construit aussi une partie de la fusée européenne Ariane 5, qui est lancée depuis la base de Kourou, en Guyane (voir p. 27).

Chimie, pétrochimie...

À partir du pétrole, les raffineries de la vallée de la Seine et de la région de Marseille extraient l'essence, le gazole, le fuel… Toujours grâce au pétrole, l'industrie chimique produit des plastiques servant en particulier aux secteurs de la construction automobile et de l'aéronautique.

L'industrie du luxe

Maroquinerie, parfums, cosmétiques, bijoux : à travers ses grandes marques (Vuitton, Hermès, Chanel, Dior...), la France est réputée dans le monde entier pour son savoir-faire en la matière. La haute couture et la mode comptent également parmi les activités qui font rayonner le pays à l'étranger.

Le cinéma d'animation

Les studios d'animation français se sont fait une jolie place à côté des Américains. Des graphismes réussis et des équipes créatives expliquent les succès récents, dont *Moi, Moche et Méchant*.

Le tourisme

La France est le pays du monde le plus visité : plus de 80 millions de touristes y viennent chaque année. Ils visitent Paris, les principaux monuments et musées, mais séjournent aussi dans tout le pays (Côte d'Azur, Bretagne...). Un million de personnes travaillent dans le tourisme, à recevoir ces voyageurs.

Harmony of the seas

Raffinerie pétrochimique, Grandpuits.

Ariane 5

Touristes sur la Seine, à Paris

SPÉCIALITÉS GOURMANDES

La cuisine française est très réputée. Toutes les régions possèdent leurs spécialités : plats de viande, de poisson, fromages, gâteaux, vins... Nombre d'entre elles sont protégées pour ne pas être copiées et détournées. C'est le cas du camembert, qui doit être uniquement fabriqué en Normandie. À Paris, on peut trouver toute la gastronomie française sur les cartes des restaurants alsaciens, bretons, auvergnats... Sans oublier la baguette et les croissants, enviés dans le monde entier !

Le Nord et le Nord-Ouest

Dans le Nord, impossible de manquer les **moules-frites** ! Certains se régaleront aussi d'une **tarte au fromage de Maroilles**. Si l'on descend vers la Normandie, il faudra déguster un plateau de fromages (**livarot**, **camembert**, **pont-l'évêque**, **neufchâtel**...) et, pourquoi pas, un bon **poisson à la crème** normande. En Bretagne, c'est **galettes** de blé noir et **crêpes** sucrées pour tout le monde ! Certains préfèreront un bon **plateau de fruits de mer**.

tarte normande

kouign amann

cidre

fromages normands

fruits de mer

crêpes et galettes

froma de ch

mogettes

brioche vendéenne

tourteau charentais

huîtres

cannelé

vin de Bordea

confit de canard

jambon de Bayonne

cassou

piments d'Espelette

fromage de brebis

garbure

Le Sud-Ouest

Tandis que les côtes vendéenne et charentaise proposent d'excellentes **huîtres**, les terres intérieures du Poitou offrent à leur table un savoureux **fromage de chèvre**, tout comme dans les Pays de la Loire. En descendant encore plus au sud, on entre dans une région particulièrement réputée pour sa cuisine à base de canards et d'oies. La Dordogne, le Périgord ou le Gers sont ainsi connus pour leur **foie gras**, leurs **confits** de canard ou d'oie, ou encore leurs **magrets**. C'est également près de Carcassonne que le **cassoulet** est le plus fameux, un plat mijoté réunissant haricots blancs, canard et porc dans une « cassole ». Plus au sud-ouest, est servi le **jambon de Bayonne**, un jambon cru, salé et goûteux. Dans les Pyrénées, l'élevage de brebis permet l'élaboration de très bonnes **tommes**, et le **piment d'Espelette**

parfume nombre de plats. L'hiver, une bonne **garbure**, soupe au chou avec des morceaux de légumes, réchauffera les randonneurs ou les skieurs. La **crème catalane** est un dessert qui se déguste plutôt près de la frontière espagnole, dans la région de Perpignan. L'Auvergne est une région riche en fromages (**saint-nectaire**, **cantal**, **salers**) et charcuteries. On y déguste l'**aligot**, un plat à base de fromage fondu et de pommes de terre, sans oublier la **potée au chou**. Sur les plateaux de l'Aveyron, certaines caves sont réservées à l'élaboration du **roquefort**, fromage obtenu à base de lait de brebis, tandis que le **bleu des Causses** provient du lait de vache.

Le Nord-Est

La Lorraine est la région d'origine de la **quiche**, une tarte salée garnie de lardons, d'œufs et de crème. Dans l'Alsace toute proche, impossible de ne pas manger une **choucroute**, plat de viande de porc servi avec du chou et plusieurs variétés de saucisses. La charcuterie alsacienne est en effet riche et incontournable. Le **munster**, à base de lait de vache, est le fromage régional. La spécialité sucrée est une brioche légère : le **kouglof**. Mais on peut aussi déguster à toute heure un **bretzel** ! Plus au sud, en Franche-Comté, on confectionne la **saucisse de Morteau**, au goût fumé. Dans les Vosges, la **tarte aux myrtilles** est un délice. En Bourgogne, le très célèbre **bœuf bourguignon** mijote plusieurs heures dans une sauce au vin. On peut l'accompagner d'une pointe de **moutarde de Dijon**. C'est aussi le pays des **escargots** farcis au beurre d'ail.

Quasiment chaque région a sa spécialité de vin ou de boisson. Tandis que l'Alsace propose de nombreuses bières et vins blancs, le cidre accompagne les plats normands et bretons. La Bourgogne, la vallée du Rhône ou le Sud-Ouest sont connus pour leurs vins rouges, la Provence pour son rosé... Quant à la Champagne, son vin blanc pétillant est le symbole de la fête partout dans le monde.

Le Sud-Est

Dans la Bresse, on élève des **poulets** réputés pour leur chair ferme et grasse. Dans les montagnes de Savoie, les variétés de fromages ne manquent pas : **comté, beaufort, abondance, reblochon**… En hiver, on se réunit autour de plats à base de fromage fondu : **fondue savoyarde, raclette** ou **tartiflette**. Lyon, parfois appelé capitale de la gastronomie, est célèbre pour ses **saucissons de porc** (rosette, jésus...). La spécialité de Marseille est un plat de poissons accompagnés d'une soupe : la **bouillabaisse**. D'autres plats sont originaires de la région, comme la **salade niçoise** ou la **pissaladière**, sorte de pizza garnie d'oignons et d'anchois. La **ratatouille** se cuisine avec des poivrons, des aubergines, des courgettes et des tomates cuits dans l'huile d'olive. En Corse, il faut s'attabler autour d'un plat de **charcuterie** et de **fromages de brebis**.

moules-frites

gauffres du Nord

tarte au maroille

normande

mirabelles

champagne

vin d'Alsace

bière

quiche lorraine

choucroute

époisses

munster

kouglof

Paris-Brest

bœuf bourguignon

tarte aux myrtilles

saucisse de Morteau

vin de Bourgogne

tarte Tatin

pâté berrichon

moutarde

comté

escargots

morbier

clafoutis

fromages d'Auvergne

poulet de Bresse

reblochon

potée auvergnate

saucisson de Lyon

fondue savoyarde

melon de Cavaillon

aligot

salade niçoise

roquefort

ratatouille

pissaladière

crème catalane

moules sétoises

anchois de Collioure

bouillabaisse

CHARCUTERIE CORSE

PARIS

La capitale est aussi l'une des plus anciennes villes du pays : les Gaulois Parisii l'ont bâtie trois siècles avant J.-C. Quel bonheur de la parcourir quartier par quartier, de découvrir les traces de son riche passé, de l'admirer depuis la Seine, de contempler ses façades d'immeubles uniques, ses monuments nombreux et variés, de sortir le soir dans les quartiers animés et de voir au détour d'une rue la tour Eiffel s'illuminer ! Son architecture et ses 150 musées attirent ainsi environ 50 millions de touristes chaque année.

Notre-Dame de Paris

Cette magnifique cathédrale gothique fut achevée en 1345 après deux siècles de travaux ! Elle s'élève majestueusement au cœur de Paris, sur l'île de la Cité. Sa flèche culmine à 96 m de hauteur.

Le centre Pompidou

Surnommé « Beaubourg » et inauguré en 1977, ce lieu culturel présente des œuvres des XXe et XXIe siècles. Il propose aussi des ateliers créatifs, des expositions, abrite une bibliothèque... Son architecture étonnante permet d'apercevoir Paris depuis sa terrasse et ses escaliers vitrés.

Le métro parisien a ouvert en 1900. Il compte aujourd'hui 14 lignes et 302 stations. Plus de 4 millions de voyageurs le prennent chaque jour.

La tour Eiffel

Elle est le symbole de Paris et de la France. Cette géante d'acier de 324 m de haut fut imaginée par Gustave Eiffel et inaugurée à l'occasion de l'Exposition universelle de Paris en 1889. Elle accueille un peu plus de 7 millions de visiteurs par an. Le soir, en plus de son éclairage doré, elle scintille chaque début d'heure durant 5 minutes.

Arc de triomphe

[éd]ifié entre 1806 et
[18]36 pour célébrer les
[vic]toires de Napoléon Ier,
[ce] monument domine
[l'u]ne des plus célèbres
[av]enues parisiennes :
[le]s Champs-Élysées,
[lon]gs de 2 km.

Le musée du Louvre

Cette ancienne demeure des rois
de France est un musée depuis 1792.
Aujourd'hui, la richesse de ses collections
en fait le deuxième musée d'art visité dans
le monde. Il abrite en particulier *la Joconde*
de Léonard de Vinci. Son entrée principale
se trouve sous la pyramide de verre
dessinée par l'architecte Ieoh Ming Pei.

La Seine

Pour tous ceux qui aiment Paris,
la Seine participe au charme de la
ville. Qu'on se promène le long de ses
quais animés de bouquinistes ou qu'on
admire depuis un bateau-mouche les
ponts et les monuments qui la bordent,
c'est toujours un moment délicieux. Et la
nuit, lorsque les projecteurs des bateaux
illuminent ses rives, la magie
est totale !

Les jardins du Luxembourg

Situés au centre de
Paris, devant le palais du
Luxembourg, ils font partie
de ces jardins historiques
où les Parisiens, les
touristes et les étudiants
viennent se reposer ou
déjeuner sur le pouce.

 butte Montmartre

[C]ulminant à 130 m, c'est le point le plus
[ha]ut de Paris, où s'élève la basilique
[du] Sacré-Cœur (achevée en 1923).
[De]rrière elle, le quartier animé de Montmartre
[ac]cueillit autrefois de nombreux artistes
[cé]lèbres. Aujourd'hui encore, peintres
[et] caricaturistes y installent leurs chevalets.

Les Invalides

Célèbre pour son dôme
recouvert d'or, l'immense hôtel
des Invalides a été construit
sous Louis XIV pour soigner les
soldats blessés. Aujourd'hui,
ce musée des Armées abrite
le tombeau de Napoléon Ier ainsi
que les dépouilles de grands
personnages militaires français.

LES TERRITOIRES D'OUTRE-MER

Essentiellement constitués d'îles, ces départements et territoires d'outre-mer répartis à travers le globe appartiennent à la France depuis l'époque des grandes explorations, entre le XVIᵉ et le XVIIIᵉ siècle. Certains sont très peuplés, alors que d'autres sont déserts, comme les terres australes, qui n'abritent que des bases scientifiques. Les îles de l'océan Indien ou des Antilles, au climat chaud et aux paysages séduisants, accueillent de nombreux touristes venus découvrir ces petits bouts de France.

3 Saint-Pierre-et-Miquelon

C'est la seule terre française en Amérique du Nord. Jusqu'aux années 1990, l'archipel a servi de base aux bateaux français qui pêchaient la morue sur les bancs de Terre-Neuve.
Le climat y est très frais : pas plus de 17 °C l'été, jusqu'à −15 °C l'hiver.

1 La Martinique

Située dans la mer des Antilles, c'est une île volcanique dont le volcan, la montagne Pelée, est toujours en activité. Surnommée l'île aux Fleurs, la Martinique vit du tourisme, mais aussi de la culture de la banane.

La ville de Saint-Pierre et la montagne Pelée

Plage de Sainte-Anne, Guadeloupe

2 La Guadeloupe

L'archipel de la Guadeloupe se trouve lui aussi dans les Antilles. Il est formé de deux îles principales. L'une, Basse-Terre, est dominée par le volcan actif de la Soufrière. La seconde, Grande-Terre, accueille les touristes sur sa côte Sud, protégée par une barrière de corail.

4 Mayotte

Cet ensemble d'îles de l'océan Indien est devenu depuis 2011 un département français. Dans le lagon qui l'entoure on peut apercevoir des baleines à bosse et des tortues géantes.

Base scientifique française
Dumont d'Urville

5 Terres australes et de l'Antarctique

Ce sont des archipels et îles du sud de l'océan Indien (Crozet, Kerguelen, Saint-Paul et Amsterdam) et la Terre Adélie, une parcelle de l'Antarctique découverte en 1840. Celle-ci abrite la base Dumont d'Urville, où des scientifiques étudient le climat, les animaux, la composition du sous-sol...

6 Polynésie française

Ce territoire compte 118 îles, dont 76 sont habitées. Il s'étend sur une superficie d'océan aussi grande que l'Europe. Tahiti, la plus célèbre de ces îles, est réputée pour ses plages, son climat et son petit air de paradis...

7 Wallis-et-Futuna

Ces 2 îles volcaniques du Pacifique comptent 12 000 habitants qui vivent de pêche et de cultures.

8 La Nouvelle-Calédonie

La plus vaste des îles de cet archipel d'Océanie est entourée par un des plus grands lagons du monde. Le sous-sol de l'archipel est riche en nickel.

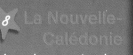

9 La Réunion

Cette île de l'océan Indien possède un volcan très actif, aux coulées de lave fréquentes : le piton de la Fournaise, qui culmine à 2 631 m d'altitude. L'île vit de la culture de la canne à sucre et du tourisme, notamment grâce à ses splendides paysages qui attirent les randonneurs.

Le sommet du Maïdo
et le cirque de Mafate

10 La Guyane française

Situé en Amérique du Sud, ce département est occupé en grande partie par la forêt amazonienne. La Guyane a été choisie en 1965 pour accueillir la base de lancement des fusées françaises et européennes : Ariane et Vega.

TABLE DES MATIÈRES

MDS : 661 273
ISBN : 978-2-215-144 229
© FLEURUS ÉDITIONS, 2016
Dépôt légal à la date de parution.
Conforme à la loi n° 49-956 du 16 juillet 1949
sur les publications destinées à la jeunesse.
Imprimé en Italie (04/16).